BERNARD WERBER
ERIC PUECH

LES ENFANTS D'EVE

TOME 1 : GENÈSE

ALBIN MICHEL

Déjà paru
aux éditions Albin Michel

Bernard Werber

Les fourmis, 1991
Le jour des fourmis, 1992
Les Thanatonautes, 1994
La révolution des fourmis, 1996
Le livre du voyage, 1997
Le livre de nos pères, 1998
L'encyclopédie du savoir relatif et absolu, 2000
L'empire des anges, 2000
L'ultime secret, 2001
L'arbre des possibles, 2002
Nos amis, les humains, 2003
Nous, les Dieux
1. L'île des sortilèges
2. Le souffle de l'histoire (à paraître)
3. Le dernier mystère (à paraître)

Bernard Werber

Avec Alain Mounier

Exit, tome 1 et 2

Avec Eric Puech

Exit, tome 3

Eric Puech

L'Immortel, tome 1 et 2

Avec Eric Gratien

Le gardien des enfers

N JOUR IL N'Y AURA QUE LES FEMMES SUR TERRE ET LES HOMMES NE SERONT PLUS QU'UNE LÉGENDE.

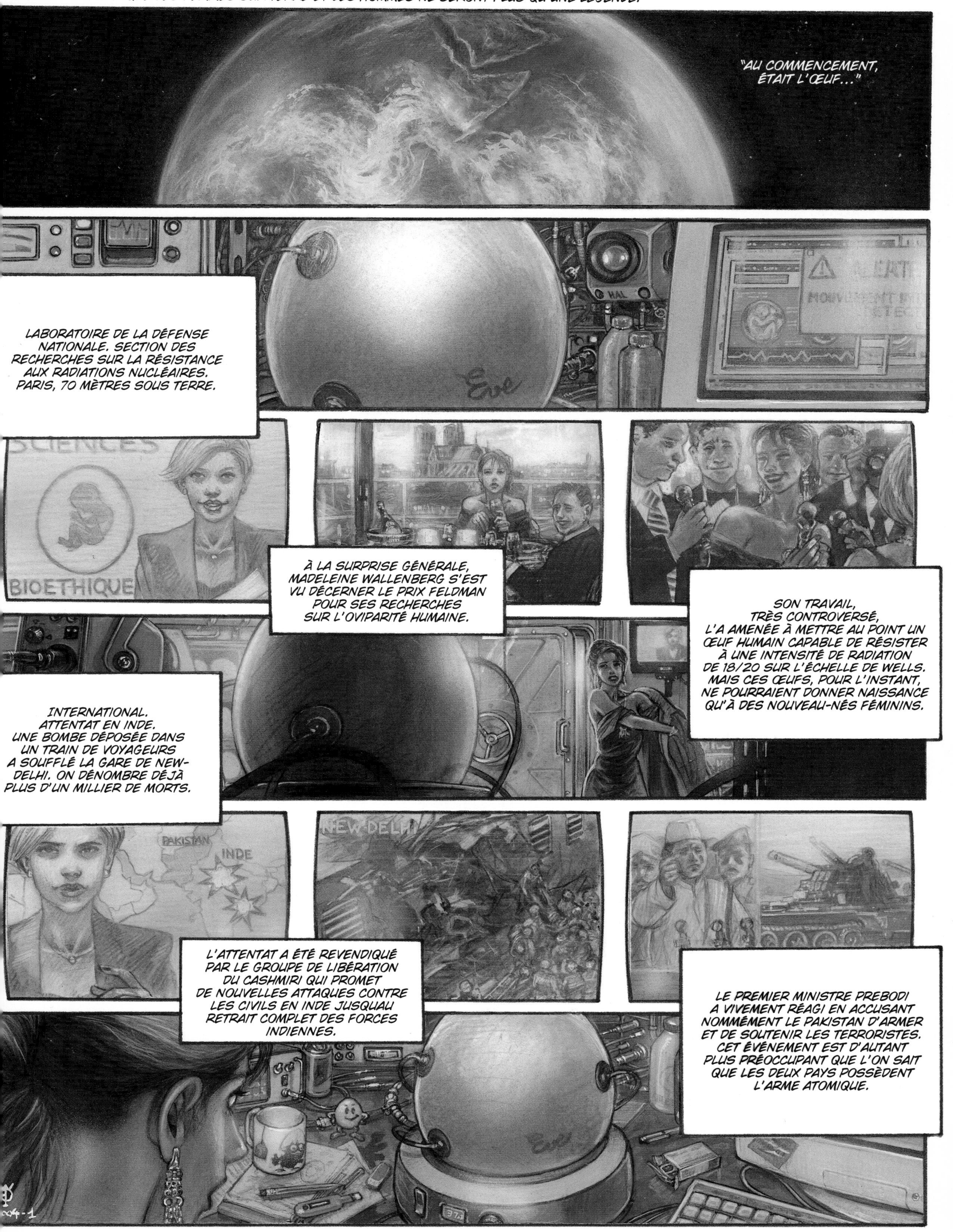

DE RÉCENTES RÉVÉLATIONS DU PROFESSEUR PAKISTANAIS KAHN ONT MIS À JOUR UN PROGRAMME SECRET DE KARACHI, VISANT À FABRIQUER UNE SUPER-BOMBE, BAPTISÉE BIG CRUNCH, CAPABLE DE DÉTRUIRE TOUTE VIE SUR LA SURFACE DE LA PLANÈTE. LE SECRÉTAIRE GÉNÉRAL DE L'ONU, DÉPÊCHÉ D'URGENCE, N'A PAS PU RÉCONCILIER LES DEUX BELLIGÉRANTS...
LA TENSION MONTE SUR TOUTES LES PLACES INTERNATIONALES, ET DÉJÀ LE DOW JONES A PERDU 3,70 POINTS DÈS L'OUVERTURE. NOUS ATTENDONS DE PLUS AMPLES INFORMATIONS DANS LES MINUTES QUI SUIVENT...
FOOTBALL. LE MATCH DE LA FINALE DE LA COUPE DU MONDE SE TIENDRA À TURIN ET OPPOSERA LE BRÉSIL AUX PAYS-BAS. CE MATCH... MAIS EXCUSEZ-MOI... QUOI ?! **NON !**
ON ME SIGNALE QUE DES RADARS DE L'OTAN VIENNENT À LA SECONDE DE DÉTECTER LE LANCEMENT D'UN MISSILE EN PROVENANCE DE LA RÉGION D'ISLAMABAD...

ISSUES VERROUILLÉES...
TAUX DE RADIATION EXTÉRIEUR
NIVEAU LÉTAL... FILTRES ACTIVÉS...
PORTES ÉTANCHES ENCLENCHÉES
ROGRAMME MODE AUTONOME LABO LANCÉ...
NOOON !
ISSUES VERROUILLÉES...
TAUX DE RADIATION EXTÉRIEUR
NIVEAU LÉTAL...
"AU COMMENCEMENT
ÉTAIT L'ŒUF...
ET À LA FIN SERA L'ŒUF"

200 ANS PLUS TARD

pomme de pin
Cabaret

TU ES BIEN SÛRE QU'ELLES SONT LÀ ?
DERRIÈRE LES RIDEAUX.

IL Y EN A BEAUCOUP ?
TU NE DEVRAIS PAS AVOIR DE PROBLÈMES... ET N'OUBLIE PAS MON PETIT CADEAU.

PAS AVANT QUE TOUT SOIT FINI. RIEN N'EST SÛR ICI-BAS.

ON SE RETROUVE APRÈS À L'ENDROIT HABITUEL.
PAS DE PROBLÈME, J'Y SERAI.

... ON VOUS MENT. DEPUIS L'APOCALYPSE, ON VOUS CACHE LA VÉRITÉ. LES FEMMES DU PASSÉ...

... N'ÉTAIENT PAS QUE DES ÊTRES BRUTS ET SANS CONSCIENCE. C'EST FAUX : LE GOUVERNEMENT NOUS A TOUJOURS FAIT CROIRE À L'OBSCURANTISME DE NOS ANCÊTRES, IL NOUS A TOUJOURS AFFIRMÉ QU'AVANT NOUS...

... NE RÉGNAIT QU'UNE ÈRE D'ÉGAREMENT. MAIS LE MONDE D'AVANT EVE N'EST PAS TEL QU'ON VOUS LE DIT PARTOUT. IL EST TEMPS D'OUVRIR LES YEUX ET DE VOIR LE PASSÉ EN FACE. NE SOYEZ PAS EFFRAYÉES PAR CE QUE JE VAIS VOUS MONTRER...

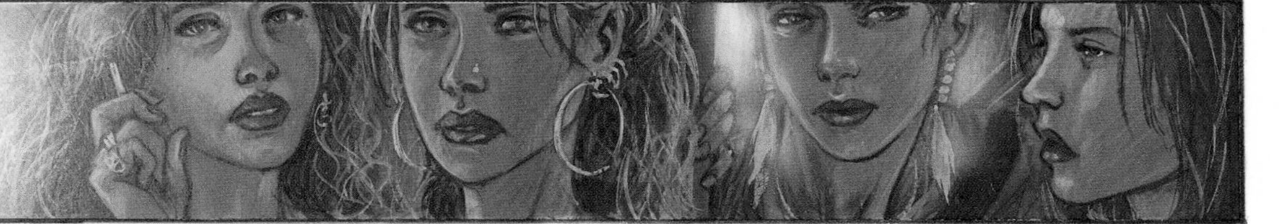

CECI N'EST PAS N'IMPORTE QUEL FOSSILE. C'EST UN PUR JOYAU DE L'ART PRÉ-APOCALYPTIQUE. REGARDEZ CET OBJET TABOU ENTIÈREMENT MÉTALLIQUE : C'EST UNE ARME TRÈS PERFECTIONNÉE...

... QUI EST CAPABLE DE PROPULSER DES BALLES D'ACIER À 800 MÈTRES DE DISTANCE. CELA SERVAIT À PROTÉGER LES GENS CONTRE LES AGRESSIONS EXTÉRIEURES.
JE NE T'AI JAMAIS VUE, TOI. TU ES NOUVELLE ?

ATTENDS, ATTENDS... JE T'AI DÉJÀ VUE... LE JOUR OÙ AMAIA S'EST FAIT PRENDRE...

UN FLIC ! T'ES QU'UN SALE FLIC !

CHOPEZ-LA !
TIRE-TOI ! VITE, ON TE COUVRE !

IL DOIT Y EN AVOIR D'AUTRES EN BAS !! PASSE PAR LES TOITS !

ASSEZ JOUÉ, LES FILLES.

JULIA 103-582, TU ES EN ÉTAT D'ARRESTATION POUR POSSESSION D'OBJET TABOU...
2004
6

PAW! PAW! PAW!
VA TE FAIRE FOUTRE !

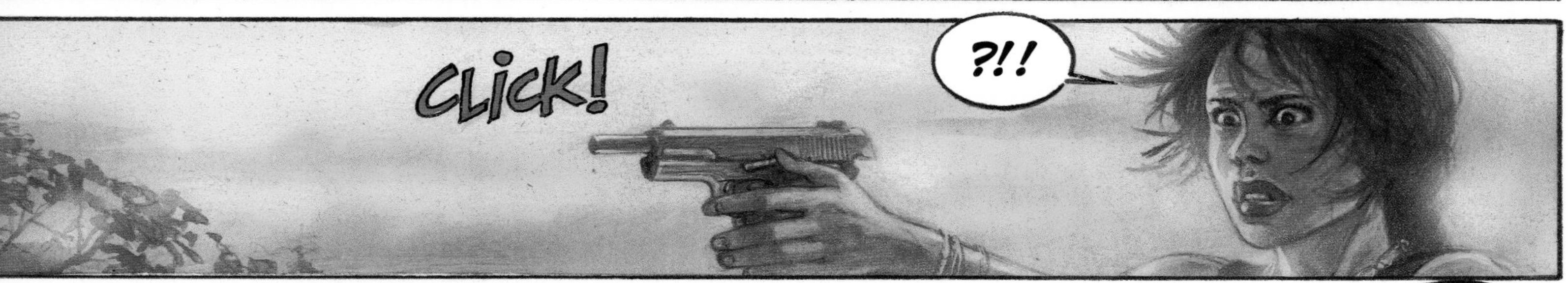
CLICK!
?!!

VA-T'EN ! LAISSE-MOI !!

JE T'EMMÈNE AU CENTRE DE RÉÉDUCATION POUR DÉVIANTS, DE MALAKOFF.

POSE CETTE BARRE ET RENDS-TOI !

JAMAIS ! QUAND LES ESPRITS SONT ENDORMIS, LE BÂTON DOIT LES RÉVEILLER.
QUI RÉVEILLERA QUI ?

QUE LE BÂTON SOIT NOTRE JUGE !
KLING
AAAH !
LE PIED AUSSI PEUT PARLER...
JE VAIS LÂCHER. AIDE-MOI.
POURQUOI T'ACHARNES-TU CONTRE NOUS ?
DE QUOI AS-TU PEUR ?
TU AS LE SIGNE ?!
2004
8

ET VOUS ÊTES CONTENTE DE VOUS ? POUR UNE FOIS QUE NOUS EN TENIONS UNE, VOUS N'AVEZ MÊME PAS ÉTÉ CAPABLE DE LA RAMENER ICI VIVANTE !!
JE N'AIME PAS VOS MÉTHODES, REBECCA. VOUS AVEZ DES RÉSULTATS, MAIS VOUS NE SAVEZ PAS VOUS MAÎTRISER. JE SAIS BIEN QUE LES DUALISTES ONT TUÉ VOTRE MÈRE, MAIS UNE BONNE FLIC NE DOIT PAS AGIR SOUS L'EMPRISE DE SES ÉMOTIONS.
ELLE A GLISSÉ, JE N'AI RIEN PU FAIRE POUR L'ATTRAPER, C'EST JUSTE UN ACCIDENT.
LE PROBLÈME, C'EST QUE C'EST LE CINQUIÈME DEPUIS LE DÉBUT DE L'ANNÉE. JE NE POURRAI PAS VOUS COUVRIR ÉTERNELLEMENT.
JE SAIS CE QUE JE VOUS DOIS. CELA NE SE REPRODUIRA PLUS.
SACHEZ NÉANMOINS QUE J'APPRÉCIE VOTRE EFFICACITÉ. JE NE SAIS PAS QUI VOUS DONNE VOS INFORMATIONS MAIS VOUS ÊTES IMBATTABLE SUR CE PLAN. VENEZ, J'AI QUELQUE CHOSE À VOUS MONTRER.

BIENVENUE DANS MON PETIT "MUSÉE DES HÉRÉSIES". VOUS LE SAVEZ, REBECCA, CHAQUE JOUR, UNE NOUVELLE SECTE DANGEREUSE APPARAÎT.
MAIS LA PIRE DE TOUTES EST, COMME VOUS LE SAVEZ, LA "SECTE DES DUALISTES" SON INFLUENCE AU SEIN DES...

ELLES REMETTENT EN QUESTION LE PASSÉ D'AVANT L'APOCALYPSE. ELLES SONT FASCINÉES PAR LE TABOU DU MÉTAL ET LES ARMES DESTRUCTRICES DU PASSÉ.

TOUS CES FOSSILES ONT ÉTÉ TROUVÉS DANS DES ZONES ARCHÉOLOGIQUES CLANDESTINES QUI ALIMENTENT CES SECTES.
... REBECC

VOUS AIMEZ CES ARMES INTERDITES, ELLES VOUS FASCINENT ?

MAINTENANT DITES-MOI LA VÉRITÉ : QUELLE EST VOTRE INDIC ?

ELLE EST TRÈS DISCRÈTE. ET JE PRÉFÈRE QU'ELLE LE RESTE.
QUEL DOMMAGE D'AVOIR SACRIFIÉ UNE TELLE PISTE !
TOUS LES SACRIFICES NE SONT PAS INUTILES... ET JE SUIS TRÈS PATIENTE !

TU ME DOIS 10 UNITÉS.
PAS DE PROBLÈME : UN MARCHÉ EST UN MARCHÉ. SI TU AS D'AUTRES TUYAUX DE CE GENRE, JE SUIS PRENEUSE.
EH, REBECCA ! ATTENDS-MOI !
QU'EST-CE QU'IL Y A ?
QUAND JE SERAI GRANDE, JE VOUDRAIS ÊTRE COMME TOI : JE VEUX DEVENIR UN LIMIER IMPITOYABLE ET DÉBUSQUER LES HÉRÉTIQUES OÙ QU'ELLES SE CACHENT !!!
TU SAIS MOUSTIQUE, JE NE FAIS PAS ÇA PAR PLAISIR. QUAND J'ÉTAIS PETITE, JE VOULAIS DEVENIR MUSICIENNE, JOUER DE LA HARPE. MAIS J'AI UN COMPTE PERSONNEL À RÉGLER AVEC LES DUALISTES.
ET T'AS PAS LE TEMPS DE FAIRE UNE PARTIE DE CAILLOUX AVEC MOI...
... S'IL TE PLAÎT ? ... SI TU GAGNES, T'AS L'ADRESSE DE LA FILLE QUE TU AS TUÉE.
D'ACCORD, VAS-Y.
...
... ET TU SAIS, JE N'AI TUÉ PERSONNE, C'ÉTAIT UN ACCIDENT !
J'AI GAGNÉ, FILE-MOI L'ADRESSE.

REBECCA ! TU ES BLESSÉE !
CE N'EST RIEN. JUSTE UNE ÉGRATIGNURE.
ANNE-LAURE, ARRÊTE DE FAIRE TA MÈRE POULE.
IL FAUT NETTOYER ÇA AVANT QUE CELA NE S'INFECTE
TU T'ES ENCORE BATTUE...
TU AS ENCORE FAIT LA CHASSE AUX HÉRÉTIQUES. TU NE PEUX PAS LEUR FOUTRE LA PAIX ?
NE L'ÉCOUTE PAS. ELLE DIT ÇA PARCE QU'ELLE EST ARCHÉOLOGUE, ELLE VIT DANS LE CULTE DU PASSÉ.
MAIS C'EST PASSIONNANT, LE PASSÉ !! C'EST EN LE CONNAISSANT ET EN L'ÉTUDIANT QU'ON PEUT CONSTRUIRE LE FUTUR !
TU PARLES : NOS ANCÊTRES ONT FAIT TELLEMENT D'ERREURS QUE JE PRÉFÈRE NE PAS LES CONNAÎTRE !!! VENEZ MANGER, C'EST PRÊT.
C'EST L'HEURE DES INFOS. ILS VONT ANNONCER LA LOTERIE DES TRIOS GAGNANTS.
TU RÊVES MA VIEILLE : ON N'A AUCUNE CHANCE...

VOUS VOULEZ VRAIMENT DES ENFANTS, VOUS ?

NOUS SOMMES UN FOYER COMPLET DE TROIS SEXUÉES. NOUS AVONS LE DROIT D'AVOIR UN ŒUF, ON LE MÉRITE.
ET APRÈS, C'EST QUI QUI VA S'EN OCCUPER ?

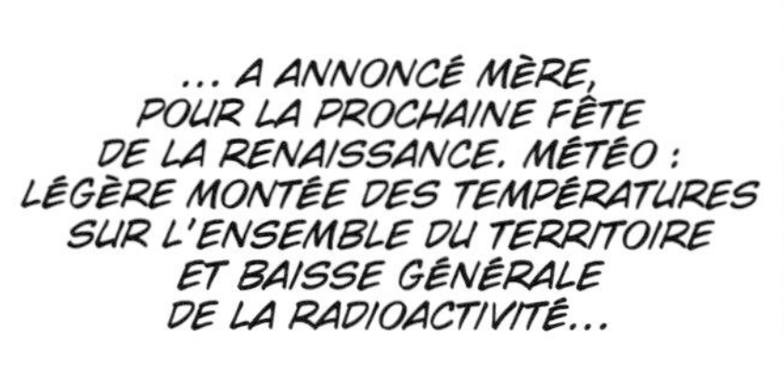

... A ANNONCÉ MÈRE, POUR LA PROCHAINE FÊTE DE LA RENAISSANCE. MÉTÉO : LÉGÈRE MONTÉE DES TEMPÉRATURES SUR L'ENSEMBLE DU TERRITOIRE ET BAISSE GÉNÉRALE DE LA RADIOACTIVITÉ...

... QUI PASSE DE 13,8 À 13,7 SUR L'ÉCHELLE DE WALLENBERG. DÉMOGRAPHIE : LA POPULATION MONDIALE EST DÉSORMAIS QUANTIFIÉE À 6 MILLIONS D'INDIVIDUS PARMI LESQUELS ON COMPTE 5,4 MILLIONS D'ASEXUÉES ET 600 000 SEXUÉES. ET MAINTENANT, L'INSTANT QUE VOUS ATTENDEZ TOUTES... ***LA LOTERIE !***

LES 5 TRIOS GAGNANTS SONT : E FOYER 103 654, LE 103 665, LE 103 402, LE 103 208, ET POUR FINIR LE 103 917. LES GAGNANTES POURRONT REMETTRE LEURS OVULES AU SERVICE DE ÉCONDATION DÈS LA SEMAINE PROCHAINE. NOUS LEUR SOUHAITONS À TOUTES DES ŒUFS BIEN GARNIS.

ENCORE PERDU.
ON N'Y ARRIVERA JAMAIS ! C'EST PAS JUSTE !

TU ES SÛRE
QUE C'EST LÀ ?

C'EST JUSTE SA PLANQUE, ELLE N'Y VIVAIT PAS. C'EST POUR ÇA QU'ON L'A JAMAIS REPÉRÉE, PAS COMME LA FILLE !

WAOU ! QUEL PALACE !

ÉCOUTE-MOI MOUSTIQUE : IL FAUT ABSOLUMENT QUE TOUT CELA RESTE SECRET. N'EN PARLE À PERSONNE.

... ALORS VÉRONIQUE, EN TANT QU'ARCHÉOLOGUE, T'EN PENSES QUOI DE MES "FOSSILES ?" ILS ONT L'AIR TOUT JUSTE SORTIS DE FABRICATION.
QUELLE HORREUR !!! C'EST DONC AVEC CE GENRE DE CHOSES QU'ELLES SE TUAIENT... SI C'EST ÇA LE PROGRÈS, À BAS LA SCIENCE !!
C'EST INCROYABLE LA QUALITÉ DE TA TROUVAILLE : ILS SONT TOUS EN PARFAIT ÉTAT DE CONSERVATION ! C'EST EXTRÊMEMENT RARE D'EN TROUVER AUTANT.
EST-CE QUE TU AS UNE IDÉE DE LEUR PROVENANCE, QUEL GISEMENT ? ON A DÛ LES TROUVER RÉCEMMENT.

PEUT-ÊTRE : IL Y A CE NOUVEAU SITE APPAREMMENT TRÈS RICHE DANS LES SOUS-SOLS PROFONDS DE MONTPARNASSE. IL EST POUR L'INSTANT SOUS CONTRÔLE DE LA POLICE RELIGIEUSE QUI EN INTERDIT L'ACCÈS.

TU AS DÉJÀ ÉTÉ LÀ-BAS ?
NON. MAIS JE SAIS COMMENT Y ALLER.

JE CROIS QUE CE SOIR, NOUS ALLONS FAIRE UNE PETITE PROMENADE. PRÉPARE LES TORCHES.

TU VOIS : LE SITE EST FERMÉ. VIENS, IL Y A UN PASSAGE PAR LÀ.
TU SAIS, C'EST LA PREMIÈRE FOIS QUE JE DESCENDS DANS UN GISEMENT, ALORS... JE NE SUIS PAS TRÈS À L'AISE !
T'AS PEUR ?
QU'EST-CE QU'ELLES FAISAIENT ICI ?
ON SUPPOSE QU'ELLES CIRCULAIENT SOUS TERRE DANS DES SORTES DE CHARIOTS ÉLECTRIQUES.
ATTENDS ! J'AI ENTENDU DU BRUIT...
DES RATS... IL Y A PLEIN D'ANIMAUX QUI VIVENT SOUS TERRE.
ET CE TRUC-LÀ, C'EST QUOI ?

C'ÉTAIT UNE SORTE DE BIBLIOTHÈQUE, ON EN A RETROUVÉ QUELQUES-UNES EN SURFACE ÉGALEMENT. C'EST DANS CE GENRE D'ENDROIT QU'ON TROUVE DES JOURNAUX IMPRIMÉS JUSTE AVANT LE GRAND BOUM, DES ARCHIVES TRÈS IMPORTANTES POUR COMPRENDRE LE MONDE D'AVANT... ET POURQUOI IL A SOMBRÉ.
DES JOURNAUX ? TU EN AS VUS ?
MOI, NON. EN GÉNÉRAL, QUAND ON OUVRE CE TYPE DE FOUILLE, LA POLICE RELIGIEUSE RAPPLIQUE ET FERME TOUT : ELLE NETTOIE LE SITE DE FOND EN COMBLE AVANT QUE L'ON PUISSE TRAVAILLER, C'EST DÉSESPÉRANT !
ELLE N'A PEUT-ÊTRE PAS TORT : CE QU'ON POURRAIT LIRE DANS CES JOURNAUX RISQUERAIT SANS DOUTE DE NOUS DÉSESPÉRER... CELA DIT, J'AIMERAIS EN VOIR UN, POUR COMPRENDRE...
MOI, C'EST SURTOUT LEUR TECHNOLOGIE QUE J'AIMERAIS COMRENDRE...
ÉTEINS TA LAMPE, VITE !!
PERSONNE... J'AURAIS POURTANT JURÉ AVOIR ENTENDU PARLER !
C'ÉTAIT SÛREMENT DES RATS. NOTRE RONDE DE SURVEILLANCE EST TERMINÉE. REMONTONS !

TU CONNAIS LA RESPONSABLE DE CETTE ZONE DE FOUILLES ?
FILONS VITE AVANT QU'ELLES NE REVIENNENT !
ELLE DÉPEND DE LA CHAIRE UNIVERSITAIRE D'ARCHÉOLOGIE, DONC CE DOIT ÊTRE LE PROFESSEUR MARYSE 103 833 QUI EN SUPERVISE LES TRAVAUX... ELLE EST TRÈS CONTROVERSÉE.
C'EST PAS ELLE QUI AVAIT FAIT SCANDALE AVEC SON INTERPRÉTATION DES FOSSILES TROUVÉS À ODÉON ?
TOUT JUSTE.
ON DEVRAIT ALLER LA...
OUTCH !
CHAKK!

JE CROIS QU'ON LES A SEMÉES...
DIS DONC, JE NE SAVAIS PAS QUE TU ÉTAIS AUSSI DOUÉE POUR LA BASTON !!
ÇA FAIT PARTIE DE MON JOB. ON SE DÉPÊCHE DE RENTRER, ON A PERDU ASSEZ DE TEMPS.
HEP TAXI !!
TU CROIS QU'ELLES POURRAIENT NOUS RECONNAÎTRE ?
PAS DE RISQUE : ON ÉTAIT DANS LE NOIR.
IL FAUDRAIT Y RETOURNER : CE CHANTIER RECÈLE SANS DOUTE PAS MAL DE MYSTÈRES POUR QUE LES RELIGIEUSES L'AIENT FERMÉ...
JE VOUS L'INTERDIS : JE ME SUIS FAIT UN SANG D'ENCRE EN VOUS ATTENDANT !
HA HA ! TU AVAIS RAISON ANNE-LAURE, DE NOUS TROIS, C'EST REBECCA QUI A LE BOULOT LE PLUS EXCITANT !
TU M'EN VOIS RAVIE.
MOI JE SUIS CREVÉE. UNE DOUCHE ET DODO, BONNE NUIT LES FILLES.

… TA "MARYSE" VIENT BIEN TOUTE SEULE AU 2, PLACE DU CAIRE, JE TE LE CONFIRME. T'AS BESOIN DE QUOI D'AUTRE COMME INFO AUJOURD'HUI ?
C'EST BON, MOUSTIQUE. ON RACONTE QUOI EN CE MOMENT DANS "LA RUE" ?

ON PARLE PAS MAL DE RUMEURS, RIEN DE VRAIMENT SÉRIEUX, VERSAILLES EST TELLEMENT LOIN… ON RACONTE PAS MAL DE LÉGENDES SUR LA PRODUCTION DES ŒUFS, POURQUOI IL Y EN A MOINS QU'AVANT, DES TAS DE MYSTÈRES AUTOUR DU PALAIS DE MÈRE, DES HISTOIRES DE MONSTRES, CE GENRE DE TRUCS.

JE VOIS, CE QUE LA FOULE IGNORE, ELLE L'IMAGINE. MERCI.

À TON SERVICE CHEF ! ON FAIT UNE PARTIE DE CAILLOUX ?
UNE AUTRE FOIS, J'AI RENDEZ-VOUS. À PLUS TARD.

"2, PLACE DU CAIRE, DEUXIÈME ÉTAGE"

MARYSE 103 833 ?

IL Y A QUELQU'UN ?
… AAARGH…

MARYSE !!

NE BOUGEZ PAS, JE VAIS CHERCHER DE L'AIDE !
... IL ... IL FAUT LES ARRÊTER ! KOFF KOFF !

ON SE CONNAÎT ?
VOUS ? C'EST VOUS !? C'EST... ALORS, LA PROPHÉTIE...

VOUS AVEZ SON VISAGE ! C'EST INCROYABLE CE QUE VOUS LUI RESSEMBLEZ... ON VOUS ATTEND DEPUIS SI LONGTEMPS -KOFF, KOFF ! LÀ, DERRIÈRE LE TABLEAU...
QUOI ?

DE QUOI PARLEZ-VOUS ? JE NE COMPRENDS PAS...
KOFF KOFF !... LE TABLEAU, DERRIÈRE VOUS... REGARDEZ, LE TABLEAU... AAAAHHHH !

... ALORS J'AI POUSSÉ LE TABLEAU, IL Y AVAIT UN COFFRE DANS LE MUR, JE L'AI OUVERT, ET DEDANS J'AI TROUVÉ ÇA...
C'EST QUOI ?
TRÈS IMPRESSIONNANT ! JE NE PENSAIS PAS EN VOIR UNE AUSSI BIEN CONSERVÉE

PÉRISCOPE
UN COUP D'OEIL SUR LE MONDE
Gilberto
Le come-back en coming-out
PLIÉ AVEC CETTE COUVERTURE DE MAGAZINE DU PASSÉ, IL Y AVAIT CE TICKET POUR LE MATCH DE BOXE DE JEUDI PROCHAIN. SÛREMENT PAS PAR HASARD.

CES VISAGES APPARTIENNENT À DES FEMMES QUI SONT MORTES DEPUIS PLUS DE DEUX SIÈCLES, DES VESTIGES DU MONDE D'AVANT... C'EST ÉMOUVANT !

ÇA C'EST DRÔLE : LA FILLE AU PREMIER PLAN A DES LONGS POILS SOUS LE NEZ ET SUR LE MENTON ! C'EST LAID !
LA MODE À L'ÉPOQUE, SANS DOUTE !

ATTENDS !! REBECCA, Y A QUELQUE CHOSE DE TRÈS ÉTRANGE SUR CE FOSSILE ! REGARDE, LÀ !!
FAIS VOIR ?

'UNE ENFANT AUTISTE
SUR LA PHOTO, LÀ : CETTE FILLE, C'EST TOI !! C'EST INCROYABLE COMME ELLE TE RESSEMBLE !
EXCLUSIF.
LE PRIX DU SCANDALE
LA LÉGENDE DIT QU'ELLE S'APPELLLE MADELEINE WALLENBERG, UNE SCIENTIFIQUE QUI VIENT DE RECEVOIR UN PRIX...
ET CONTESTÉE ! JE SERAIS CURIEUSE DE SAVOIR SUR QUOI ELLE TRAVAILLAIT...
TU AS RAISON : C'EST SON SOSIE !

ILS S'HABILLAIENT ET SE COIFFAIENT N'IMPORTE COMMENT, NOS ANCÊTRES... IL Y EN A MÊME UNE CHAUVE LÀ ! ET PUIS CETTE FILLE A L'AIR GOURDE, ELLE NE ME RESSEMBLE PAS DU TOUT !!!!
C'EST TON PORTRAIT TOUT CRACHÉ ! SI ÇA TE TROUVE, C'EST TON ARRIÈRE-GRAND-MÈRE, TU TE RENDS COMPTE ? IMAGINE, TU PORTES PEUT-ÊTRE SES GÈNES !

LE PRIX DU SCANDALE
Après la pelouse LA SCÈNE
Gilberto
Le come-back en coming-out
EN TOUT CAS, MARYSE AVAIT L'AIR D'ACCORDER UNE ÉNORME IMPORTANCE À CES DEUX OBJETS. LE COMBAT DE BOXE SERA SANS DOUTE INSTRUCTIF.
2004

JE SUIS HEUREUX, MADEMOISELLE WALLENBERG, DE VOUS REMETTRE AU NOM DU COMITÉ DE LA PRESTIGIEUSE FONDATION FELDMAN...

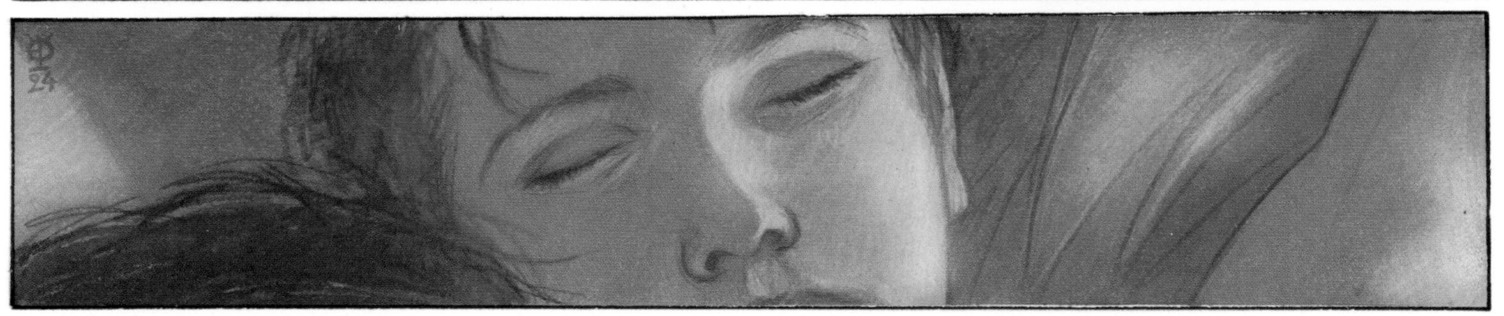

LE GRAND PRIX **AVENIR** POUR VOS TRAVAUX SUR L'OVIPARITÉ HUMAINE ET LA RÉSISTANCE AUX RADIATIONS NUCLÉAIRES...

"… CETTE CONFORTABLE BOURSE VA VOUS PERMETTRE DE POURSUIVRE SEREINEMENT VOS RECHERCHES. VOTRE PROCHAINE ÉTAPE ?"
"MON PROCHAIN OBJECTIF EST DE RÉSOUDRE UN PETIT PROBLÈME : COMPRENDRE POURQUOI JE N'OBTIENS QUE DES ŒUFS PORTEURS D'EMBRYONS EXCLUSIVEMENT FÉMININS !"
… UN JOUR IL N'Y AURA QUE DES FEMMES SUR TERRE, LES HOMMES NE SERONT PLUS QU'UNE LÉGENDE…
REBECCA ?!?
REBECCA ? ÇA VA ?
POURQUOI T'AS CRIÉ ? TU AS FAIS UN CAUCHEMAR OU QUOI ?

...DIRE QU'AUTREFOIS L'OPÉRA ÉTAIT LE TEMPLE DE L'ART LYRIQUE. QUELLE DÉRISION !

...ET AUJOURD'HUI C'EST CELUI DE LA BOXE, ANNE-LAURE. **WOOOH QUEL COUP !**

MOI, CETTE VIOLENCE GRATUITE M'ÉCŒURE, VÉRONIQUE.
BEAU MATCH, SON ADVERSAIRE N'A PAS TENU DEUX ROUNDS !
AUDREY 103 784 ; ENCORE CHAMPIONNE TOUTES CATÉGORIES, POUR LA 3E ANNÉE CONSÉCUTIVE ! ON L'APPLAUDIT BIEN FORT !
QU'EST-CE QU'UNE GRANDE ARCHÉOLOGUE COMME MARYSE POUVAIT VENIR CHERCHER ICI ?

PEUT-ÊTRE QU'ELLE AIMAIT LA BOXE, TOUT LE MONDE N'EST PAS FLEUR BLEUE COMME TOI !
JE SUIS SÛRE QU'ELLE DEVAIT RETROUVER QUELQU'UN ICI, UN RENDEZ-VOUS TRÈS IMPORTANT SINON ELLE N'AURAIT PAS MIS CE BILLET DANS SON COFFRE AVEC LE FOSSILE.
...QUELQUES IMPRESSIONS À VIF APRÈS CE MAGNIFIQUE COMBAT ?...
JE DÉDIE CETTE VICTOIRE À MON AMIE MARYSE 103 833. SELON LES AUTORITÉS, ELLE AURAIT ÉTÉ ASSASSINÉE PAR DES RODEUSES...
ET ON CONNAÎT CES "RODEUSES". MON AMIE MARYSE ALLAIT FAIRE DES RÉVÉLATIONS. LE GOUVERNEMENT UNE FOIS DE PLUS A VOULU ÉTOUFFER LA VÉRITÉ. ON NOUS CACHE LE PASSÉ, ON NE PEUT PLUS VIVRE DANS LE MENSONGE.
C'EST UNE DUALISTE

TOUT EST DOUBLE DANS LA NATURE. LA VÉRITÉ EST DANS LA DUALITÉ, REGARDEZ AUTOUR DE VOUS POUR VOUS EN CONVAINCRE.
HÉRÉTIQUE ! FAITES-LA TAIRE !

ON N'ARRÊTE PAS LA VÉRITÉ.
UNE HÉRÉTIQUE !
OUTCH !!
NON REBECCA... TU AVAIS PROMIS.
GARDEZ MON SAC LES FILLES, JE REVIENS TOUT DE SUITE.
NE LA LAISSEZ PAS S'ÉCHAPPER !
AUDREY, STOP !
J'AI DIT STOP !!!

C'EST VOUS LES DUALISTES QUI AVEZ TUÉ MARYSE ! POURQUOI, QU'AVAIT-ELLE DÉCOUVERT À MONTPARNASSE ? PARLE !
NON ! TU TE TROMPES.
AHRR !
TU NE COMPRENDS RIEN : MARYSE ÉTAIT L'UNE DES NÔTRES, TU CONFONDS LES BOURREAUX ET LES VICTIMES. CHERCHE PLUTÔT À QUI PROFITE CE MEURTRE.
VOUS LES DUALISTES, VOUS NE SAVEZ QUE MENTIR. VOUS ENDORMEZ LES GENS AVEC VOS DISCOURS ET VOS CONTES À DORMIR DEBOUT ! JE TE LE DEMANDE ENCORE...
REBECCA, LAISSE-LA !
C'EST À NOUS MAINTENANT DE LA PRENDRE EN CHARGE, NOUS ALLONS NOUS OCCUPER D'ELLE. MERCI DE TON AIDE.
...LUCE ? BIEN.
29

...ALORS, ELLES SE SONT BATTUES ET REBECCA L'A EUE. VOUS VOUS RENDEZ COMPTE : ELLE A EU AUDREY, LA GRANDE CHAMPIONNE DE BOXE ! C'EST UNE DÉTECTIVE IMPITOYABLE, ELLE NE CRAINT PERSONNE.
TU Y ÉTAIS ?
C'EST REBECCA QUI ME L'A DIT.

REBECCA, ELLE EST SUPER. C'EST LA MEILLEURE DE TOUTES LES FLICS DU MONDE. J'AI JAMAIS VU PERSONNE LUI RÉSISTER, ELLE EST RAPIDE COMME L'ÉCLAIR. QUAND TU L'AS SUR LE DOS T'ES FICHUE.
TU LA CONNAIS ?

C'EST MON IDOLE. UN JOUR, JE SERAI COMME ELLE, JE TRAQUERAI LES HÉRÉTIQUES, JE SERAI LEUR CAUCHEMAR ET ON M'APPELLERA PLUS "MOUSTIQUE" MAIS "L'ÉPERVIER" !
TU TE LA PÈTES PAS LÀ ?
VOS GUEULES LES FILLES : VLÀ LES "GRANDES OREILLES".

PETITES VIPÈRES, QUE FAITES-VOUS DEHORS SI TARD ? VOUS FERIEZ MIEUX D'ALLER PRIER POUR VOTRE SALUT, GRAINES D'HÉRÉTIQUES.
"PRIEZ ET TRAVAILLEZ, CAR LA VOIE DU BÂTON EST DROITE ET SANS NOEUD"
30

GRANDES OREILLES, TOUTES PAREILLES !
OREILLES DE LAPIN, QUE DU BARATIN !
LAPIN-BARATIN ! LAPIN-BARATIN ! HAHAHA
FILLES MAUDITES ! RIEZ : UN JOUR, VOUS CONNAÎTREZ LE GRAND SUPPLICE !
SEULE LA DOULE POURRA VOUS PUR DE L'ERREUR !

REBECCA M'INQUIÈTE.
ELLE PREND TOUT ÇA TROP
ŒUR. ELLE EN FAIT MAINTENANT
UNE AFFAIRE PERSONNELLE...
IL FAUDRAIT QU'ON TROUVE LE COURAGE DE LUI EN PARLER, SINON ON RISQUE DE LA PERDRE.
TU SAIS BIEN QU'ELLE EST INCAPABLE DE NOUS ÉCOUTER SUR CE SUJET.
AH, TU ES LÀ REBECCA ! ON PARLAIT JUSTEMENT DE TOI.
TU ES BLESSÉE ?! JE VAIS T'ARRANGER ÇA.
NON, ÇA IRA COMME ÇA.
ET QUI C'EST CELLE-LÀ ?
SALUT. J'AI PRESQUE FINI.
JE TE PRÉSENTE LUDIVINE, NOTRE VOISINE DU DESSUS. ELLE RÉPARE LES MACHINES FOSSILES, C'EST DUR À TROUVER QUELQU'UN DE QUALIFIÉ COMME ELLE.
ET VOILÀ, ELLE EST COMME NEUVE VOTRE RELIQUE.
BONNE CHANCE POUR LE TIRAGE, LES FILLES.
TAISEZ-VOUS, ÉCOUTEZ...

NON, C'EST ...
C'EST PAS POSSIBLE.
...CE MATIN, À 4H, AUDREY 103 784 A ÉTÉ RETROUVÉE PENDUE DANS SA CELLULE. SE GARDIENNES NE L'ONT DÉCOUVERTE QU'AU PETIT MATIN, TROP TARD POUR TENTER DE RANIMER.ON SAIT, PAR SON INCROYABLE DISCOURS DE L'OPÉRA, QU'ELLE ÉTAIT UN MEMBRE IMPORTANT DE LA SECTE HÉRÉTIQ DITE DES "DUALISTES" ET LES AUTORITÉS..
TU N'Y PEUX RIEN REBECCA : CES GENS-LÀ SONT DES FANATIQUES. POUR EUX, LA VIE HUMAINE N'A PAS BEAUCOUP DE VALEUR.
JE NE COMPRENDS PAS, ELLE N'AVAIT PAS L'AIR À CE POINT DÉSESPÉRÉE. ELLE ÉTAIT ADULÉE DES FOULES, ELLE AVAIT L'OCCASION D'AVOIR UNE TRIBUNE... ÇA N'A PAS DE SENS !
C'EST LE TIRAGE ! METTEZ PLUS FORT !
...POUR L'AMÉLIORATION DE L'HABITAT URBAIN. ET MAINTENANT, LE MOMENT QUE VOUS ATTENDEZ TOUTES : LE LOTO DES ADOPTIONS. VOICI LA LISTE DES GAGNANTES : FOYER 103 688, LE 103 423, LE 103 271,...
...ET ENFIN LE FOYER 103 625. SOYEZ TOUTES BÉNIES PAR LA PENSÉE DE MÈRE QUI VEILLE À NOTRE BONHEUR.
C'EST... C'EST NOUS, C'EST NOUS !
ON A GAGNÉ ! ON VA ENFIN ÊTRE MÈRES !!

NOUS SOMMES DANS UNE PÉRIODE CHARNIÈRE, VOUS LE SAVEZ MA CHÈRE ALEXANDRA. TOUT POURRAIT BASCULER TRÈS VITE...
LA SITUATION EST SOUS CONTRÔLE, VOTRE SÉRÉNITÉ.
LES DUALISTES NE POURRONT JAMAIS PLUS PRENDRE D'IMPORTANCE. CET ACCIDENT AVEC LA BOXEUSE N'EST QU'UN ÉPIPHÉNOMÈNE SANS GRAVITÉ.
COMBIEN DE TEMPS POURREZ-VOUS LES CONTENIR ?
NOTRE POLICE RELIGIEUSE SURVEILLE TOUT. LES GENS SE DÉSINTÉRESSENT DU PASSÉ PRÉ-APOCALYPTIQUE.
LA CURIOSITÉ EST INNÉE CHEZ L'ÊTRE HUMAIN. VOUS NE POURREZ PAS ÉTERNELLEMENT CACHER LA VÉRITÉ.
VOYEZ-VOUS ALEXANDRA, MÈRE PENSE QUE VOTRE IDÉE D'AVOIR CRÉÉ CETTE RELIGION DU DROIT-CHEMIN POUR CANALISER L'AGRESSIVITÉ DES ASEXUÉS EST UNE ERREUR. MÈRE CRAINT QUE NOUS NE SOYONS OBLIGÉES D'AFFRONTER UN JOUR LES CHEMINISTES, ET LES DUALISTES.
LES DUALISTES NE SONT PAS UNE RELIGION, C'EST UNE SECTE.
LE SUCCÈS DE LA RELIGION DU DROIT-CHEMIN MONTRE QUE NOS SŒURS ONT BESOIN D'UN ORDRE SPIRITUEL AUQUEL SE RATTACHER, FÛT-IL COERCITIF.
J'ESPÈRE QUE LEUR FANATISME NE S'EXERCERA QUE CONTRE LES DUALISTES...

IL Y A UN MYSTÈRE AUTOUR DE L'APPARITION DE LA RELIGION DUALISTE. JE PENSE QUE NOUS DEVRIONS AUSSI DÉCOUVRIR QUI A LANCÉ ÇA...
COMME L'HYDRE DONT LES TÊTES COUPÉES REPOUSSENT SANS CESSE, N'EST-CE PAS ? IL FAUT ASSAINIR LA SITUATION AVANT LA GRANDE FÊTE DE L'ÉCLOSION.
JE FERAI DE MON MIEUX, MAIS IL Y A UN AUTRE PROBLÈME, LE LOTO DES ADOPTIONS EST REMIS EN QUESTION PAR CERTAINES ASEXUÉES. ELLES NE COMPRENNENT PAS QU'IL Y AIT DE MOINS EN MOINS DE GAGNANTES.
ÇA MA CHÈRE, IL FAUDRA BIEN QU'ELLES S'Y FASSENT...
... J'EN REVIENS PAS, NOUS ALLONS AVOIR UNE FILLE !
JE T'AVAIS DIT QU'ON POUVAIT AVOIR CONFIANCE, QU'ON POUVAIT GAGNER.
J'AI UN DE CES TRACS, DIRE QUE DANS QUELQUES INSTANTS, NOUS ALLONS DEVENIR MÈRES...

DONNEZ-MOI VOTRE CONVOCATION.
TOUS NOS PAPIERS SONT EN RÈGLE.
ON VA VÉRIFIER. DOSSIER D'ATTRIBUTION D'ŒUF NUMÉRO 103625. VOS TESTS MÉDICAUX SONT EN RÈGLE, VOUS FORMEZ UN FOYER COMPLET À TROIS. PARFAIT. ATTENDEZ À CÔTÉ.
J'ESPÈRE QU'ILS NE VONT PAS NOUS FAIRE POIREAUTER DES HEURES. JE DOIS ALLER AU COMMISSARIAT APRÈS.
OUBLIE UN PEU TON TRAVAIL, C'EST UNE JOURNÉE HISTORIQUE.
PAR MOMENTS, J'AI L'IMPRESSION QUE TU T'EN FICHES...
AVEC PLAISIR !
FOYER 103625, LA CÉRÉMONIE VA POUVOIR COMMENCER. PRENEZ VOS AFFAIRES ET SUIVEZ-MOI.
C'EST VOTRE PREMIER ENFANT ? SURTOUT FAITES BIEN TOUT CE QU'ON DIT, NE POSEZ PAS DE QUESTION, ET NE TREMBLEZ PAS QUAND VOUS ENTENDREZ L'ŒUF.
35

… C'EST UN GRAND PRIVILÈGE, UNE GRANDE RESPONSABILITÉ, QUE D'ÉLEVER UN NOUVEL ÊTRE HUMAIN DANS CE MONDE EN RECONSTRUCTION. NOTRE DIVINE MÈRE CRÉATRICE DE TOUTE VIE VOUS A HONORÉES DE SA CONFIANCE EN VOUS FAISANT NAÎTRE SEXUÉES POUR PROMOUVOIR SON AMOUR ET PROLONGER SON ŒUVRE. JUREZ-VOUS EN VOTRE ÂME ET CONSCIENCE D'OFFRIR LE MEILLEUR DE VOUS-MÊME ET DE VEILLER À L'HARMONIEUX DÉVELOPPEMENT DE CE GERME D'HUMANITÉ, DE LUI APPORTER TOUT VOTRE SOUTIEN EN TOUTES CIRCONSTANCES, ET TOUTE VOTRE ATTENTION À SON ÉDUCATION DÈS SON ENTRÉE DANS LE CERCLE DES VIVANTES ?
NOUS LE JURONS !
NE SOYEZ PAS TIMIDES, APPROCHEZ POUR RECEVOIR VOTRE FILLE. QUE CET ŒUF SOIT POUR VOUS SOURCE D'AMOUR ET DE PLÉNITUDE.

CHAQUE ŒUF QUI ÉCLÔT EST LA PERPÉTUATION DE NOS VALEURS. UNE PROMESSE D'UN AVENIR MEILLEUR. AINSI SOIT-ELLE !
AINSI SOIT-ELLE !

COUVEZ-LE BIEN. BONNE ÉCLOSION.

TU NOUS QUITTES DÉJÀ REBECCA ?
JE DOIS VOIR DE TOUTE URGENCE LUCE. JE VOUS RETROUVE TOUT À L'HEURE À LA MAISON.
IL VA FALLOIR LUI TROUVER UN PRÉNOM. TU AS UNE IDÉE ?

FÉLICITATIONS REBECCA. J'AI APPRIS QUE VOUS AVIEZ GAGNÉ AU LOTO. VOUS ÊTES DÉSORMAIS MÈRE, N'EST-CE PAS ?
ÇA FAIT SURTOUT PLAISIR À MES COLOCATAIRES. JE N'AI PAS LA FIBRE MATERNELLE TRÈS DÉVELOPPÉE.
VOUS VERREZ, QUAND VOTRE FILLE SORTIRA DE SA COQUILLE, VOUS CRAQUEREZ VOUS AUSSI...
VOUS AVEZ EU DES ENFANTS ?
NON, JE N'AI PAS EU CETTE CHANCE, LE LOTO N'A PAS CHOISI MON NUMÉRO ET JE CROIS QUE C'EST MIEUX AINSI.
IL PARAÎT QU'IL Y A DE MOINS EN MOINS D'ŒUFS POUR LES SEXUÉES ?
PARLONS D'AUTRE CHOSE. JE ME DOUTE DE LA RAISON DE VOTRE VENUE. VOUS AVEZ APPRIS POUR AUDREY 103 784 JE SUPPOSE ?

JE NE CROIS PAS QU'ELLE SE SOIT SUICIDÉE.
VOUS PENSEZ QU'ON L'A SUICIDÉE EN PRISON, N'EST-CE PAS ?
JE NE VOIS PAS D'AUTRE POSSIBILITÉ.
C'EST UNE ACCUSATION GRAVE QUE VOUS PORTEZ LÀ CONTRE NOTRE SYSTÈME. ET J'EN SUIS D'AUTANT PLUS SURPRISE QU'IL ME SEMBLE QUE VOUS NE PORTEZ PAS VRAIMENT LES DUALISTES DANS VOTRE CŒUR.
C'EST VOUS QUI M'AVEZ APPRIS À MÉNAGER LES PRISONNIÈRES, IL ME SEMBLE !

C'EST TOUT CE QUE JE PEUX TE DIRE... IL Y A UNE RUMEUR QUI PRÉTEND QUE LES DUALISTES VEULENT VENGER L'ASSASSINAT D'AUDREY, D'UNE MANIÈRE SPECTACULAIRE. AU FAIT, IL PARAÎT QUE TU ES DEVENUE MÈRE ?
MÊLE-TOI DE TES OIGNONS, MOUSTIQUE. C'EST MA VIE PRIVÉE.

TU VEUX FAIRE UNE PARTIE DE 3 CAILLOUX ?
NON, J'AI PAS LA TÊTE À ÇA, J'AI L'IMPRESSION QU'ON ME CACHE DES CHOSES, MÊME AU SEIN DE MON SERVICE DE POLICE...
ET TES CARTES DE TAROT, ELLES DISENT QUOI ?
L'ERMITE, RECOUVERTE PAR LA DIABLESSE... QUELQU'UN DE CACHÉ MANIPULE LES AUTRES EN JOUANT SUR LEURS BAS INSTINCTS.
DIABLESSE

MAIS LES CARTES N'ONT PAS FINI DE PARLER...

LA TOUR FOUDROYÉE QUI RECOUVRE LE MAT ET L'AMOUREUSE, IL VA Y AVOIR DU GRABUGE.
ET TU Y CROIS, TOI ?

CE SONT DES CARTES QUI VIENNENT D'UN CHANTIER DE FOSSILES. UN OUTIL DU PASSÉ QUI SERT À DÉCRYPTER NOTRE FUTUR...
OH, NON !!

QUE FAIT ENCORE REBECCA ! C'EST UN JOUR IMPORTANT, ELLE AURAIT PU RESTER AVEC NOUS, QUAND MÊME.

TU SAIS BIEN QU'ELLE A BEAUCOUP DE TRAVAIL. JAMAIS LES SECTES N'ONT ÉTÉ AUSSI VIVACES. ET PUIS, ELLE EST PEUT-ÊTRE INTIMIDÉE PAR "CETTE NOUVELLE VENUE".
QUAND ON PENSE AU NOMBRE DE GENS QUI AIMERAIENT ÊTRE À NOTRE PLACE... IL EST DÉJÀ SI MIGNON, CET ŒUF, JE COMMENCE À L'AIMER.

TU SAIS, J'AI UN MAUVAIS PRES-SENTIMENT AU SUJET DE REBECCA. POUR ELLE, CE N'EST PAS JUSTE UN TRAVAIL COMME LES AUTRES... ON DIRAIT QU'ELLE RÈGLE DES PROBLÈMES PERSON-NELS ANCIENS.
TU VAS ENCORE ME PARLER DE SON ENFANCE MYSTÉRIEUSE... ELLE NE NOUS DIRA JAMAIS RIEN.

JE CROIS QUE CET ŒUF PEUT LA CHANGER. J'AI VU BEAUCOUP DE FEMMES S'ATTENDRIR AU MOMENT DE L'ÉCLOSION DE LEUR FILLE.
J'AI L'IMPRESSION QUE JE LA SENS REMUER À L'INTÉRIEUR DE LA COQUILLE.

GLOIRE À LA MÈRE VÉNÉRÉE, QUE SON RÈGNE SOIT INFINI, SUR LES FEMMES ET SUR LES ŒUFS.
GLOIRE À TOI, MÈRE. QUE TON BÂTON SOIT NOTRE LOI.
GLOIRE INFINIE À TOI AUSSI, PAPESSE JANE. T'ES LÀ POUR QUOI AU JUSTE ? JE NE SUIS PAS SORTIE DEPUIS LONGTEMPS. DONNE-MOI DES NOUVELLES DU DEHORS.

LA SECTE DUALISTE SE RÉPAND COMME UNE TUMEUR DANS NOTRE SOCIÉTÉ. IL SERAIT BIEN QUE VOUS PRONONCIEZ LEUR CONDAMNATION OFFICIELLE AFIN QUE NOUS PUISSIONS LES ÉRADIQUER UNE FOIS POUR TOUTES.

TSS, ENCORE CES DUALISTES. ELLES NE SONT QUE QUELQUES CENTAINES ET TU M'EN PARLES COMME SI ELLES METTAIENT EN DANGER TOUT NOTRE GOUVERNEMENT...

IL NE FAUT PAS LES SOUS-ESTIMER, LEUR THÉORIE D'UNE DUALITÉ DU MONDE A DE PLUS EN PLUS D'INFLUENCE SUR LES ESPRITS FAIBLES.
ON SAIT TOUT ÇA.

J'ESPÈRE QUE CE N'EST PAS POUR ÇA QUE TU M'AS DÉRANGÉE.
NON, IL Y A PIRE. UNE DE LEURS MEMBRES A ÉTÉ ARRÊTÉE PAR LA POLICE. ELLE A PARLÉ. ELLES ATTENDENT L'ARRIVÉE IMMINENTE D'UNE MESSIE.

EN QUOI VEUX-TU QUE CE NOUVEAU DÉLIRE ME CONCERNE ?
PERSONNE NE PEUT SAVOIR CE QU'IL Y A EU AVANT LA NAISSANCE DU NOUVEAU MONDE.
IL SEMBLE QUE LES ARCHÉOLOGUES AIENT PU TROUVER DES FOSSILES SIGNIFICATIFS, ET QU'ELLES LES AIENT SORTIS. DE LÀ, ELLE EN ONT DÉDUIT UNE THÉORIE SUR LA FABRICATION DES ŒUFS.
ELLES ONT AUSSI DES INFORMATIONS SUR LA PÉRIODE PRÉ-APOCALYPTIQUE.

JAMAIS PERSONNE NE POURRA SAVOIR COMMENT SONT FABRIQUÉS NOS ŒUFS. CE SECRET EST LA BASE DE TOUTE NOTRE SOCIÉTÉ.
IL EN SERA FAIT SUIVANT VOTRE VOLONTÉ. NOUS SERONS LES ABEILLES ZÉLÉES DE LA RUCHE, JAMAIS LE MIEL NE SERA TOUCHÉ. J'AGIS TOUT DE SUITE. JE CROIS SAVOIR QUI A SORTI RÉCEMMENT UN FOSSILE INTERDIT !

QU'EST-CE QU'IL Y A ? QUE DISENT LES CARTES ?
TUNE
NON, RIEN. TOUT VA BIEN... IL FAUT QUE J'Y AILLE, JE DOIS ALLER ACHETER UN PORTE-ŒUF ET J'EN VOUDRAIS UN BIEN.
PFIUU!
AAAH !!
NE VOUS INQUIÉTEZ PAS, ON EST SES AMIES, ON LA RAMÈNE CHEZ ELLE.
REBECCA, REBECCA, REBECCA...
QUI ME PARLE... VOUS ÊTES QUI ?
NOUS NE VOUS VOULONS PAS DE MAL, NOUS SOMMES RÉELLEMENT DÉSOLÉES D'AVOIR DÛ VOUS ENLEVER, MAIS C'ÉTAIT LE SEUL MOYEN POUR QUE VOUS NOUS ÉCOUTIEZ.
MAIS QUI ÊTES -VOUS ?
42

POUR L'INSTANT, C'EST SANS IMPORTANCE, CE QUI COMPTE, C'EST LE MESSAGE QUE NOUS AVONS À VOUS TRANSMETTRE. JUSQU'À PRÉSENT, VOUS ÉTIEZ COMME TOUT LE MONDE, VOUS DORMIEZ, NOUS ALLONS VOUS PERMETTRE DE VOUS RÉVEILLER. IL Y A UNE AUTRE RÉALITÉ DERRIÈRE LES APPARENCES.
ÉPARGNEZ-MOI VOS SERMONS, J'AI COMPRIS À QUI J'AI AFFAIRE, CHÈRES AMIES DUALISTES...
NOUS AVIONS PRÉVU VOTRE RÉACTION, LA LUMIÈRE DU SOLEIL AVEUGLE, ON PRÉFÈRE NATURELLEMENT VIVRE DANS L'OBSCURITÉ. SURTOUT QUAND ON N'A RIEN CONNU D'AUTRE. NOUS VOUS AVONS INVITÉE ICI, CAR NOUS PENSONS QUE VOUS N'ÊTES PAS N'IMPORTE QUI. SI VOUS ÊTES CELLE QUE NOUS ESPÉRONS, LES IMAGES DEVRAIENT RÉVEILLER CHEZ VOUS UNE MÉMOIRE PROFONDE.
JE CONNAIS DÉJÀ VOTRE PROPAGANDE ELLE N'AURA AUCUNE PRISE SUR MOI.
CLUNG!
EXAMINEZ ATTENTIVEMENT CES IMAGES DU PASSÉ. ELLES DATENT D'AVANT L'APOCALYPSE. BEAUCOUP DE NOS SŒURS SONT MORTES POUR QUE VOUS PUISSIEZ LES VOIR AUJOURD'HUI.
CECI SEMBLE ÊTRE UNE VUE DU VIEUX PARIS, COMME VOUS LE VOYEZ, IL N'Y A PAS D'AUTRUCHE, PAS DE PALMIER... ET BEAUCOUP DE FUMÉE !
LES CHARIOTS AVANCENT TOUT SEULS, SANS L'AIDE D'AUCUN ANIMAL DE TRAIT, LE MÉTAL N'EST PAS ROUILLÉ...
... ET MÊME LES ENGINS DE MÉTAL VOLENT DANS LE CIEL SANS ÊTRE TRACTÉS PAR DES OISEAUX.
ET ALORS ? NOUS SAVONS TOUTES QUE NOS ANCÊTRES SE SONT ENTRETUÉES AVEC LES MACHINES EN MÉTAL...
EN EFFET, LES ARMES À FEU MÉTALLIQUES ONT PROBABLEMENT ÉTÉ LA CAUSE DE LA DESTRUCTION DE L'ANCIEN MONDE. MAIS GARDEZ BIEN CES VISAGES.
NE VOYEZ-VOUS PAS QUELQUE CHOSE QUI VOUS CHOQUE ?
ELLES ONT UN SYSTÈME PILEUX TRÈS DÉVELOPPÉ.
ET DES SEINS TRÈS PLATS, N'EST-CE PAS. À NOTRE AVIS, CELLE DE GAUCHE, CE N'EST PAS UNE FEMME.
ALORS, CE SERAIT QUOI ?.

NOUS NOUS SOMMES LONGTEMPS POSÉ LA QUESTION. NOUS AVONS ÉMIS BEAUCOUP D'HYPOTHÈSE. ET PUIS... NOUS AVONS TROUVÉ CELA : SOYEZ PARTICULIÈREMENT ATTENTIVE AUX IMAGES QUI VONT SUIVRE : ELLES SONT PROBABLEMENT EXTRAITES D'UN FILM PÉDAGOGIQUE MONTRANT LA TECHNIQUE EMPLOYÉE PAR NOS ANCÊTRES POUR AVOIR DES ENFANTS.

OBSERVEZ BIEN LE CORPS DU PERSONNAGE DE DROITE. IL N'Y A PAS QUE LA PILOSITÉ ET LA POITRINE PLATE, VOUS ALLEZ VOIR UNE 3ÈME ANOMALIE QUI PROUVE QUE CE N'EST PAS UNE FEMME COMME LES AUTRES.

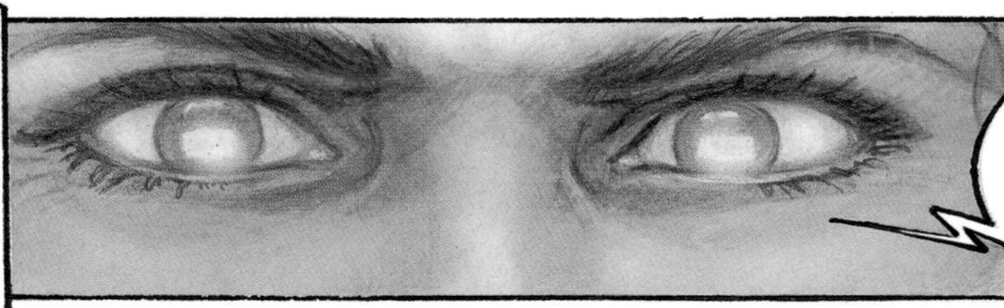
VOUS AVEZ VU ? CET APPENDICE SOUS LE NOMBRIL RESSEMBLE BEAUCOUP À CELUI QUE L'ON PEUT VOIR CHEZ LES ANIMAUX PRIMITIFS BISEXUÉS.
DE LÀ, NOUS AVONS CONCLU QUE L'ESPÈCE HUMAINE AVANT L'APOCALYPSE ÉTAIT AUSSI BISEXUÉE. IL Y AVAIT DES FEMELLES HUMAINES, MAIS AUSSI DES MÂLES. CES DEUX DERNIÈRES IMAGES NOUS MONTRENT MÊME QU'ILS ÉTAIENT VIVIPARES.

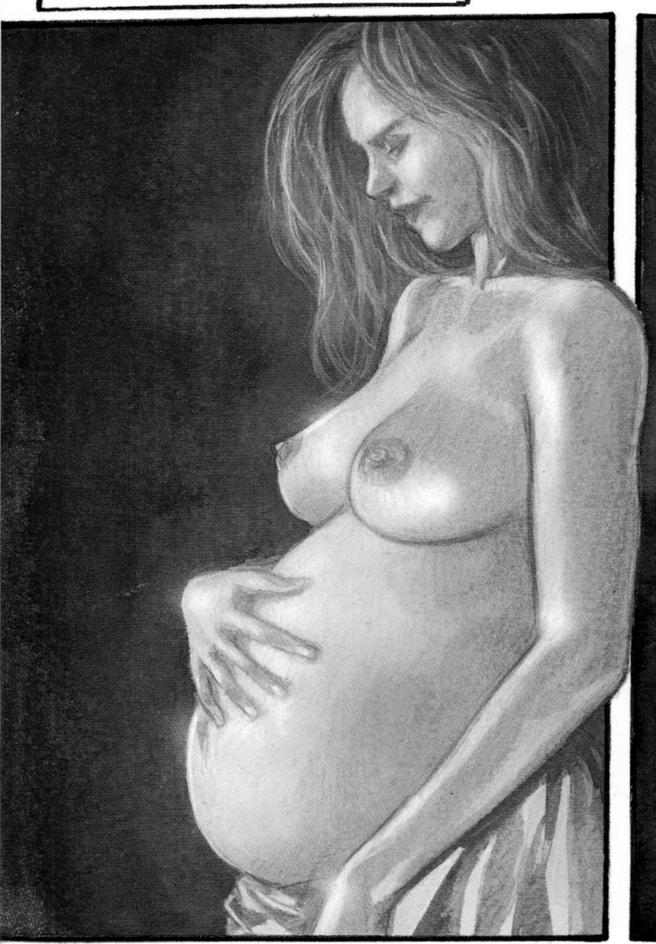

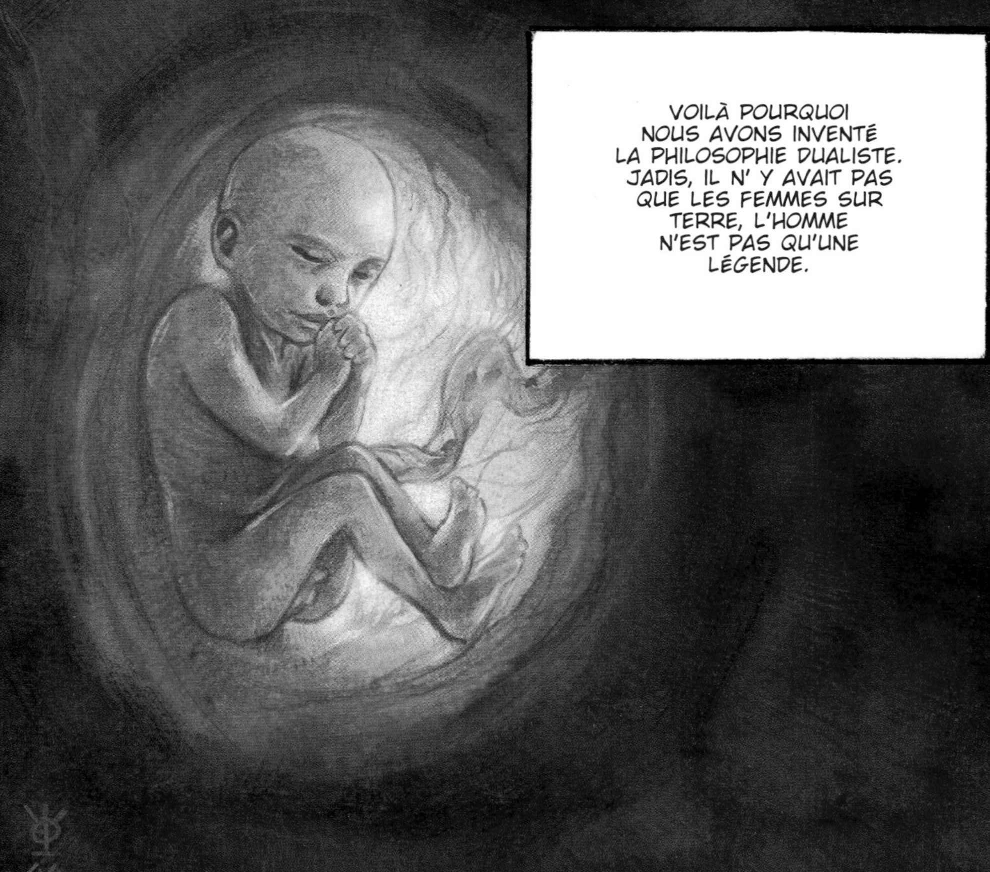
VOILÀ POURQUOI NOUS AVONS INVENTÉ LA PHILOSOPHIE DUALISTE. JADIS, IL N' Y AVAIT PAS QUE LES FEMMES SUR TERRE, L'HOMME N'EST PAS QU'UNE LÉGENDE.

Impression : Pollina en Avril 2005
SEFAM 22 rue Huyghens, 75014 Paris
ISBN : 2-226-15802-2
N° d'impression : L96629
N° d'édition : 23560
Dépôt légal : Mai 2005
Imprimé en France

Durant l'écriture du scénario des Enfants d'Eve,
j'ai écouté les musiques suivantes :

La musique du film Waterworld - James Newton Howard
La musique du film Le dernier samouraï - Hans Zimmer
La musique du film Dune - Toto et Brian Eno
La symphonie du nouveau monde - Dvorak
La symphonie des planètes - Gustave Holst

Bernard Werber

Durant le dessin des Enfants d'Eve,
j'ai écouté les musiques suivantes :

Images. Prélude à l'après midi d'un faune - Claude Debussy
Le Monocle rit jaune - Michel Magne
School's out - Alice Cooper
The Ultimate Collection - Brian Setzer Orchestra
Le fil - Camille

Eric Puech